Marc Cantin

Sébastien Pelon

Ar Cosa
in Airde

LEABHAR
BREAC

Capall do Níotú

'A Níotú, a mhic,' arsa Cleite-Mór-Iolair-a-Eitlíonn-sa-Spéir-Ghorm, 'ní féidir leat a bheith ag rith timpeall mar a bheadh giorria ann i gcónaí. Caithfidh tú capall a bheith agat.'

'Capall?' arsa Níotú, agus iontas air.

Bhí cuma ghruama ar a athair, taoiseach threibh na dTípíonna Beaga.

'Is ea, capall,' ar sé arís. 'Do chapall féin!'

'Tá tú chun capall a thabhairt dom?' arsa Níotú. *'Ía-húúúú!'*

Chroith a athair a chloigeann agus luasc na cleití ina cheannbheart.

'Caithfidh tú capall a fháil duit féin. Tóg leat an rópa fada seo agus imigh leat soir i dtreo éirí na gréine. Is ansin a bhíonn na capaill fhiáine. Imeoidh Pacó in éineacht leat.'

Baineadh siar as Níotú. Capall fiáin a ghabháil, ní fhéadfadh sé sin a bheith éasca! Fiú dá ngabhfadh Pacó in

éineacht leis, níor thuig Níotú cén chaoi a bhféadfadh iolar cabhrú leis!

'Agus,' arsa a athair, 'tá mé ag iarraidh thú a fheiceáil ar mhuin an chapaill nuair a thiocfaidh tú ar ais go dtí an campa!'

Chaith an tIndiach beag an rópa thar a ghualainn. Thóg sé a scian, a bhogha, agus a bholgán saighead, agus d'fhág sé an típí.

Taobh amuigh, bhí Pacó, an t-iolar maol, ag fanacht ar bharr an tótaim mhóir.

'Cén fáth a bhfuil an pus sin ort?' ar sé. 'Ba cheart go mbeadh áthas ort. Beidh do chapall féin agat sul i bhfad.'

'Tá súil agam go mbeidh,' arsa Níotú, 'mar beidh an-díomá ar m'athair mura n-éireoidh liom.'

'Ceart go leor, mar sin, buailimis bóthar,' arsa Pacó, agus é ag síneadh amach a sciathán.

Caibidil 2

Capaill i gContúirt

Ba é Luas Lasrach an láir* fhiáin ba sciobtha ar na Machairí Móra. Ach, faraor, ghearr sí a cos ar spíon mhór cachtais agus bhí sí ag cur fola.

Ba leor boladh na mbraonta fánacha fola le paca cadhóití* a chur ar a lorg agus ar lorg a searraigh, Pítsí.

'Abhúúúúúúúúú!' arsa na cadhóití.

Bhí a fhios ag Luas Lasrach nach raibh a searrach chomh sciobtha léi féin, agus d'ordaigh sí dó dul i bhfolach sa choill ar an taobh eile den abhainn. 'Meallfaidh mise na cadhóití ón áit seo agus ansin tiocfaidh mé ar ais chugat,' ar sí.

Rinne Pítsí é sin, cé gurbh fhearr leis imeacht lena mháthair. Léim sé thar an abhainn agus chuaigh sé i bhfolach taobh thiar de chrann. Chomh luath agus a d'imigh an láir, chuaigh na cadhóití ar a tóir.

Abhúúúúúúú! ar siad in ard a gcinn.

Ansin d'fhill an ciúnas. D'fhág Pítsí a áit fholaithe agus luigh sé síos ar bhruach na habhann. Bhí deora lena shúile agus é ag cuimhneamh ar a mháthair.

Bhí Níotu réidh leis an fhoraois a fhágáil nuair a chonaic sé an searrach,

agus stop sé taobh thiar de chrann. Tháinig Pacó anuas ar ghéag in aice leis.

'Breathnaigh, a Phacó,' arsa Níotú de chogar. 'Tá searrach thíos ag an abhainn. Tá sé díreach an airde cheart domsa.'

'Tá, go deimhin,' arsa an t-iolar. 'Ach tá sin an-aisteach. Ní bhíonn searraigh astu féin riamh.'

'Éisssssst!' arsa an tIndiach beag. 'Béarfaidh mé air.'

Chuir Níotú snaidhm reatha ar lúb ar an rópa agus rinne sé lasú de. D'éalaigh sé ar a bharraicíní an-ghar don searrach agus chaith an lasú timpeall ar a mhuineál!

'Hurrááá! D'éirigh liom!' arsa Níotú agus é ag deifriú chun ceann an rópa a chur timpeall ar stoc crainn.

Beireann Níotú ar an searrach Pítsí nuair atá sé scartha óna mháthair.

Caibidil 3

Tá Níotú Ceanndána

Bhí Luas Lasrach fós ag mealladh na gcadhóití ina diaidh, ach ar deireadh tháinig sí go barr aille! Ní raibh ar a haghaidh amach ach an poll mór domhain. Rinne sí iarracht iompú sa treo eile.

Ach faraor, bhí na cadhóití ar gach taobh di.

Scaip Luas Lasrach le cúpla speach* dá cosa iad. Ach bhí na cadhóití foighneach. Bhí a fhios acu go dtiocfadh tuirse ar an láir luath nó mall....

Thíos cois na habhann, bhí Níotú ag réiteach leis an searrach a cheansú. Bhreathnaigh sé ar Phítsí. Bhí Pítsí ag tarraingt ar an rópa. Ach ba rópa láidir é agus ní raibh an searrach in ann é a bhriseadh.

'Caithfidh tú láchín a dhéanamh leis ar dtús chun é a chur ar a shuaimhneas,' arsa Pacó.

'Ní mar sin a dhéanann na hIndiaigh

é,' arsa Níotú. 'Taispeánfaidh mise duit cén chaoi a ndéanaimid é.'

Rinne an tIndiach beag aithris ar na hIndiaigh fhásta. Chuaigh sé taobh thiar den searrach agus, le rith gearr tapa, léim ar dhroim an tsearraigh. Phreab an searrach agus d'éirigh sé ar a chosa deiridh … agus thit Níotú bocht ar a thóin ar an talamh.

'Dúirt mé leat é!' arsa Pacó. 'Ar dtús caithfidh tú….'

'Éist,' arsa Níotú. 'Déanfaidh mé arís é.'

Rith sé, léim sé in airde ar dhroim Phítsí, agus rug sé ar a mhoing*. Chaith an searrach san aer é agus thuirling Níotú ar a bholg ar an talamh.

'Há! Há!' arsa Pacó. 'Níl sé éasca eitilt gan sciatháin!'

'Ná bí ag gáire!' a bhéic Níotú. 'Éireoidh liom an babhta seo!'

Agus rith sé i dtreo an tsearraigh uair amháin eile....

Tá Níotú ceanndána agus ní éistfidh sé le comhairle Phacó, agus tá go leor trioblóide aige ag iarraidh an searrach a cheansú.

An Scéal ag Éirí Níos Measa!

Bhí Luas Lasrach traochta ag iarraidh í féin a chosaint ar na cadhóití. Bhí sí fós sáinnithe ar bharr na haille agus níorbh fhéidir léi éalú uathu. De réir a chéile, bhí siad ag teannadh níos gaire di.

'*Grrrrrrr!*' Nocht siad a gcuid fiacla fada géara.

23

Bhreathnaigh na mic tíre ar a chéile go glic. Ba ghearr go n-éireodh leo.

Bhí drochmhisneach ar Níotú. Bhí a mhása bochta gearrtha brúite. Deich n-uaire a léim sé in airde ar an searrach agus deich n-uaire a caitheadh anuas é.

'Ní bheidh m'athair sásta liom má theipeann orm an capall seo a cheansú,' arsa Níotú go héadóchasach.

'Caithfidh tú triail a bhaint as mo bhealachsa,' arsa Pacó.

Sméid Níotú a cheann ag aontú leis. Smaoinigh sé ar an searrach: dá léimfeadh duine ar a dhroim féin, gan súil aige leis, nach ndéanfadh sé an rud céanna? B'fhéidir go raibh an ceart ag Pacó.

Chuaigh Níotú anonn go mall ciúin chuig Pítsí. Rinne an searrach seitreach, d'éirigh sé ar a chosa deiridh agus bhuail sé an talamh lena chrúba.

'Ná bíodh faitíos ort. Ní dhéanfaidh mé aon dochar duit,' arsa Níotú de chogar.

'Cén fáth ar cheangail tú mé, mar sin?' arsa an searrach.

'Bhuel…. Teastaíonn capall uaim chun dul ó áit go háit,' arsa Níotú.

'Tá cosa agatsa chomh maith liomsa, cén fáth a gcaithfidh mise thú a iompar?'

'Tá tusa níos sciobtha ná mise,' arsa Níotú. 'Ba bhreá liom capall a bheith agam. D'fhéadfaimis a bheith inár gcairde.'

'Má tá tú ag iarraidh a bheith i do

chara agam, scaoil liom ar dtús!' arsa Pítsí.

'Ní féidir leat brú a chur air a bheith cairdiúil leat,' arsa Pacó. 'Caithfidh tú a thaispeáint dó go bhfuil meas agat air.'

Smaoinigh Níotú air sin ar feadh soicind. Ansin thóg sé amach a scian.

Ní bheidh Luas Lasrach in ann í féin a chosaint ar na cadhóití i bhfad eile. Maidir le Níotú, tuigeann sé nach mbeidh sé in ann Pítsí a cheansú leis an lámh láidir.

Caibidil 5

Cabhróimid le Chéile

Bhí an rópa gearrtha agus an searrach imithe de rith.…

'Imigh leat, más maith leat,' arsa Níotú. 'Tá an ceart ag Pacó. Ní féidir liom cairdeas a dhéanamh leat in aghaidh do thola.'

Ach stop Písí ar bhruach na habhann agus shil deora a chinn isteach san uisce.

'Céard é seo?' arsa Níotú. 'Ba cheart duit a bheith sásta. Tá tú saor arís.'

Chuaigh sé anonn go dtí an capaillín agus shlíoc sé a mhuineál.

D'inis Pítsí dó faoin gcaoi ar ionsaigh cadhóití é féin agus a mháthair. Bhí sé

an-bhuartha fúithi. Bhí náire ar Níotú gur choinnigh sé an searrach óna mháthair.

'Ba chóir go mbeadh Mamaí ar ais faoi seo,' arsa Pítsí agus snag caointe ann. 'Is cinnte go bhfuil sí sáinnithe ag na cadhóití.'

'Cabhróimid leat í a fháil ar ais,' arsa Níotú. 'Suas san aer leatsa, a Phacó. Feicfidh tusa í le do shúile géara, agus leanfaidh mise agus Pítsí thú.'

'Ceart go leor,' arsa an t-iolar. 'Ach, a Níotú, beidh tú rómhall.'

'Féadfaidh sé léim in airde ar mo dhroim,' arsa Pítsí. 'Go sciobtha! Buailimis bóthar!'

Níl mórán ama acu chun Luas Lasrach a shábháil, mar sin dreapann Níotú in airde ar dhroim Phítsí.

Capall i Sáinn

Bhí seanaithne ag Pacó ar na cadhóití. Ní raibh mórán misnigh iontu ach bhí siad an-ghlic. Ní raibh an aill rófhada uathu agus chreid Pacó go raibh Luas Lasrach sáinnithe acu ar an mbarr.

Bhí súil ag na cadhóití go dtitfeadh an láir le haill agus go mbeidís in ann í a ithe ar a suaimhneas ag bun na haille.

'Na cladhairí!' arsa an t-iolar.

Go deimhin, bhí cúis imní aige. Bhí Luas Lasrach ar bharr na haille, gan dada faoi chois amháin ach aer! Bhí an chuma uirthi go raibh an-tuirse uirthi, agus bhí na cadhóití á ciapadh i gcónaí, ag iarraidh í a thiomáint thar an aill. Céim amháin eile agus bheadh deireadh léi.

'Ionsaígí!' arsa Pacó, agus é ag tabhairt faoi na cadhóití.

Tháinig Pítsí agus Níotú gan mhoill. Bhí an searrach óg chomh sciobtha leis an ngaoth.

'Tugaimis fúthu!' arsa Níotú nuair a chonaic sé na cadhóití.

Bhí Pacó ag troid leo cheana féin. Bhí

a chrobha ag glioscarnach i solas an lae,
agus bhí na cadhóití scanraithe roimhe.
Chuaigh Níotú agus Pítsí ar an ionsaí!
Thóg Níotú amach a bhogha agus scaoil
saighead a chuaigh trí eireaball cadhóite!

'*Abhóúúúúúúú!*' arsa an chadhóit agus
í i bpian.

Ach bhí go leor cadhóití ann agus
chuaigh siad i ndiaidh Phítsí, ag iarraidh
greim a bhaint as a chosa.

Tháinig Pacó i gcabhair air agus d'ionsaigh sé na cadhóití lena ghob géar. Chuir Pítsí péire eile in aer le speach bhreá láidir!

'Duitse an ceann seo!' arsa Níotú, agus saighead eile á scaoileadh aige. Chuaigh an saighead trí chluas cheannaire na gcadhóití.

'Caííí! Caííí! Caííí!' ar sé, agus é ag

éalú leis go maolchluasach agus a eireaball ina ghabhal aige. Nuair a chonaic na cadhóití a gceannaire ag imeacht, lean an chuid eile acu é.

'Hurá!' arsa Níotú. 'Múinfidh sin ceacht dóibh!'

Shiúil Luas Lasrach go bacach anonn go dtí a mac. Agus d'fhan siad píosa fada, cloigeann le cloigeann, agus áthas orthu a bheith le chéile arís.

Trí chabhrú le chéile, éiríonn le Pacó, Pítsí, agus Níotú an ruaig a chur ar na cadhóití agus Luas Lasrach a shábháil!

Cara Nua

Chuir Pacó Níotú amach ag cuardach píosa coirte de chrann óg sailí le cur ar chois Luas Lasrach san áit ar gortaíodh í. Leigheas an-éifeachtach é sin, agus ba ghearr go raibh biseach ar an láir.

Rinne Pítsí seitreach le háthas nuair a chonaic sé go raibh biseach ar a mháthair.

'Thug an eachtra seo deis duit cara

nua a dhéanamh,' ar sise, agus í ag breathnú ar Níotú agus é ina shuí go bródúil ar an searrach.

'Thug, agus ba bhreá liom dul in éineacht leis go dtí a champa,' arsa Pítsí.

'An bhfuil sé sin fíor?' arsa Níotú. 'Agus tá tú sásta gur liomsa thú?'

'Ar choinníoll nach mbeidh tú i gcónaí ag tabhairt orduithe dom,' arsa Pítsí. 'Agus go mbeidh cead agam mo thuairim a thabhairt — agus go mbeidh cead agam cuairt a thabhairt ar mo Mhamaí anois is arís.'

'Aontaím leis sin,' arsa Níotú.

'Ar na Machairí Móra a rugadh Pítsí,' arsa Luas Lasrach, 'san áit a séideann an ghaoth ar a toil féin agus nach bhfuil fál ná claí ann. Níl a fhios agam an mbeidh sé ina chapall maith marcaíochta d'Indiach.'

'Déanfaidh sé cara iontach dom,' arsa Níotú. 'Sin an rud is tábhachtaí!'

'Ná bíodh imní ort, a Mhamaí, bainfimid an-cheart dá chéile,' arsa Pítsí.

Thuas sa spéir, lig Pacó a scréach ghéar. Bhí an campa le feiceáil. Chuimil Luas Lasrach a cloigeann in aghaidh chloigeann a searraigh den uair dheireanach agus lig sí do Níotú a lámh a chur timpeall a muiníl. Ansin, d'éirigh sí ar a cosa deiridh, rinne sí seitreach, agus d'imigh léi i dtreo na Machairí Móra.

'Slán agaibh go fóill!' ar sí, agus í ag imeacht as radharc thar na cnoic.

Lig Pacó scréach eile as, ach bhí a ghuth báite i ngleo na nIndiach. Bhí na Típíonna Beaga cruinnithe timpeall ar Chleite-Mór-Iolair-a-Eitlíonn-sa-Spéir-Ghorm ar an mbealach isteach go dtí a gcampa. Theastaigh uathu go léir a fheiceáil ar éirigh le mac an taoisigh capall a cheansú.

Bhí Níotú agus Pítsí ag gluaiseacht go bródúil i dtreo an champa agus scáth Phacó le feiceáil ag imeacht rompu. Bhí an tIndiach beag ag slíocadh mhuineál an tsearraigh agus ag cogarnach ina chluas.

'Tá muintir mo threibhe an-fhiosrach.

An dtaispeánfaimid dóibh céard atá tú in ann a dhéanamh?'

'An-smaoineamh!' arsa Pítsí.

'*Íaoúúú!*' arsa Níotú, agus an searrach ag imeacht sna cosa in airde.*

Bhí an-spórt ag Níotú agus Pítsí agus iad ag rásaíocht isteach is amach idir fir agus mná na treibhe, agus is iomaí ceannbheart ar baineadh cleití de sa spraoi! Ansin chuaigh siad tríd an

gcampa ar luas na gaoithe, agus léim siad thar chairn adhmaid, thar photaí, thar sheithí ainmhithe, agus thar thinte móra. Agus bhain siad preab as an treibh ar fad!

Thóg na hIndiaigh óga gáir mholta, agus lean na gaiscígh iad … ach ní raibh aon mhaith ann dóibh. Ní raibh aon duine in ann iad a stopadh. Agus Níotú ar mhuin Phítsí, ní raibh a shárú le fáil!

❶ An Scríbhneoir

Marc Cantin:

Is breá liom Indiaigh a fheiceáil agus iad ag marcaíocht — is ea, bíonn a leithéid ann go fóill! Cheapfá go raibh na capaill in ann intinn na marcach a léamh.

Maidir linne, bíonn sé deacair dúinn marcaíocht ar chapall, ach céard faoi dul ar scoil ar mhuin searraigh, nó ár gcuid siopadóireachta a dhéanamh ar muin chapaill rása! Samhlaigh an chuma a bheadh ar na bailte móra, nó go deimhin ar an tír, murach gur thóg an carr agus an rothar áit an chapaill…. Ar ndóigh, bheadh ort cúram a dhéanamh de do chapall tar éis na scoile. Agus, rud eile: ní fhéadfá codladh amach a dhéanamh ar an Satharn ná ar an Domhnach! Ní féidir capall a fhágáil sa gharáiste mar a d'fhágfá carr. Éiríonn capall uaigneach má fhágtar as féin é. Bíonn gá aige le haclaíocht. Agus, thar rud ar bith eile, caitear é a cheansú agus é a thraenáil chun tú a iompar cibé áit is mian leat. Ach sin scéal eile! Maidir liom féin, nuair a bhím ag marcaíocht, is í an capall a shocraíonn cén áit a rachaimid agus cén uair a stopfaimid. Ach is cinnte gur fearr de mharcach thusa ná mise. Mar sin, más mian lear bheith cosúil le Níotú: téigh sa diallait.

❷ An tEalaíontóir

Sébastien Pelon:

Nuair a bhí mise san aois a bhfuil Níotú anois, ba bhreá liom a bheith ag marcaíocht — ag déanamh aithrise ar na buachaillí bó. B'fhearr liom na buachaillí bó ná na hIndiaigh an t-am sin. D'athraigh mé m'intinn ó shin, ach sin scéal eile. Ní bhíonn gearrchapall ró-ard ná róneirbhíseach. Ba é an chéad uair a bhí mé ar muin capaill an uair dheireanach freisin. Níor thúisce sa diallait mé ná d'imigh sé leis ar chosa in airde agus, tar éis mé a scanrú go dona, chaith sé mise uaidh, i bhfad i bhfa-a-a-ad uaidh. Deirtear gur cheart duit dul ar ais sa diallait ar an bpointe tar éis duit titim de chapall, ach shocraigh mise gur fearr a d'fheilfeadh rothar sléibhe do mo leithéid as sin amach, cé go dtéim amach thar na hanlaí air sin freisin!

Gluais

Na hIndiaigh Dhearga — an t-ainm a thug Eorpaigh ar phobal dúchasach Mheiriceá.

Treibh — Teaghlaigh Indiacha a bhfuil gaol acu le chéile. Maireann siad le chéile agus déanann siad seilg le chéile.

Taoiseach — Ceannaire na treibhe.

Típí — Puball déanta as craicne ainmhithe. Is ann a bhíonn na hIndiaigh ina gcónaí.

Gaiscíoch — Sealgaire agus trodaí óg láidir. Bíonn sé ag seilg ar son na treibhe.